Il y a plein de parapluies dans ce livre. Amuse-toi à les trouver avec nous!

Joe

Brian

Izzy

Grace

Un p'tit coin de parapluie...

Davina Bell
illustrations
Allison Colpoys

Si tu t'es déjà senti
seul ou perdu, ce livre est
pour toi. Affectueusement,
Davina x X

À Ian, Diana et Sally Colpoys,
Merci de m'avoir toujours gardé
une place sous votre parapluie.
Avec toute mon affection,
Al x X

Traduit de l'anglais (Australie) par Emmanuelle Beulque

Pour la présente édition :
© 2017, éditions Sarbacane, Paris.
www.editions-sarbacane.com
facebook.com/fanpage.editions.sarbacane

Pour l'édition originale parue sous le titre :
Under the Love Umbrella
Text copyright © 2016 by Davina Bell
Illustrations copyright © 2016 by Allison Colpoys
Published by permission of Scribble, an imprint of Scribe Publications.
All rights reserved. Translation rights arranged through the VeroK Agency, Spain.

Loi n° 49-956 du 16 juillet 1949 sur les publications destinées à la jeunesse.

Dépôt légal : 1er semestre 2017.
ISBN : 978-2-84865-977-0

Imprimé en Italie.

Tout là-haut dans le ciel, parmi les étoiles
Il y a quelque chose que tu n'as peut-être pas remarqué...

C'est le parapluie de mon amour pour toi.

Où que tu sois, au-dessus, juste là
Il est le signe que je pense à toi.

Même dans le noir...

Quand un gros
chien aboie

Ou quand
les vagues s'écrasent
Comme un méchant requin !

Quand les autres
ne veulent pas partager
Et c'est pas juste

Il y a toujours
une place pour toi
Sous mon parapluie.

Tu te sens timide
Et tu ne sais pas pourquoi ?

ÉCOLE PRIMAIRE

Je suis là, tout près
Avec notre parapluie.

Quand tout est bizarre et trop nouveau

Les jours de casse, patatras !

Il y a toujours un p'tit coin pour toi
Sous mon parapluie.

Un cauchemar ?

Une dent perdue ?

Un jouet cassé…

Un gros chagrin…

Mouillé ton pyjama ?

En retard pour l'école ?

Tout disparaît comme par magie
Dans un coin de parapluie.

N'aie pas peur
Tout va bien

Tu ne risques rien

Je serai toujours là pour toi
Avec notre parapluie magique.

Par tous les temps

Ensemble

Et mon amour pour toi ne partira jamais.

Dors bien
Fais de beaux rêves

Mon parapluie d'amour veille sur toi.

Tout là-haut dans le ciel, parmi les étoiles
Il y a quelque chose que tu n'as
peut-être pas remarqué...

Mais où que tu sois, au-dessus, juste là
En signe de mon amour pour toi
Il y aura toujours...

Un p'tit coin de parapluie.

Et toi, qui abrites-tu sous ton parapluie ?

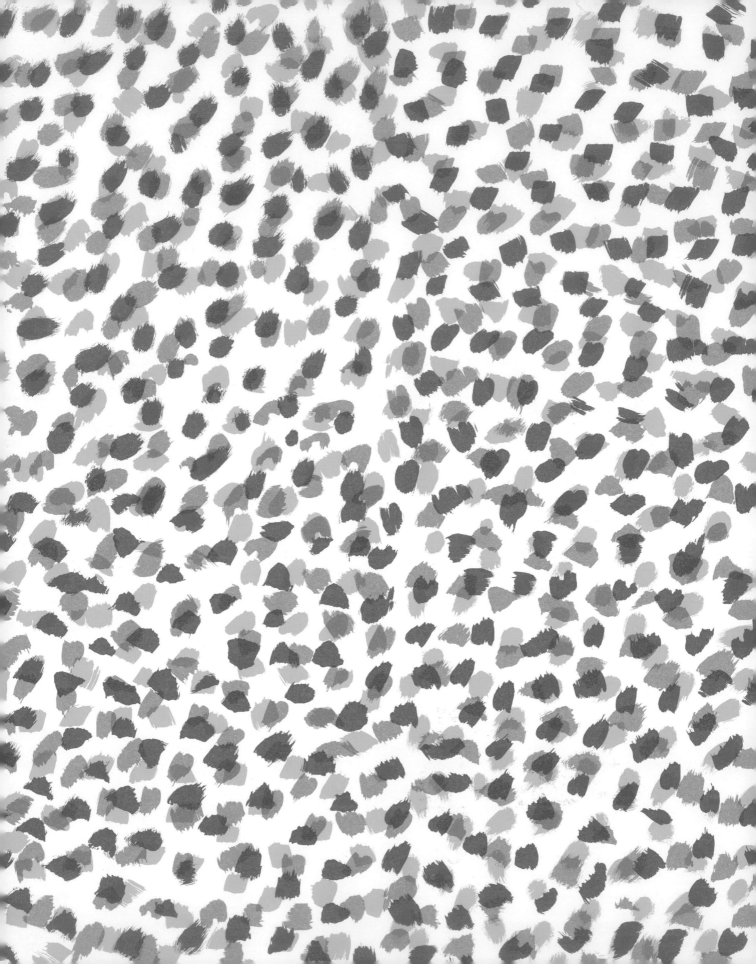